© 2012 Les publications Modus Vivendi Inc.
© 2012 Alex A.

D'après une idée originale d'Alex A.

PRESSES AVENTURE, une division de
LES PUBLICATIONS MODUS VIVENDI INC.
55, rue Jean-Talon Ouest
Montréal (Québec) H2R 2W8
CANADA
www.groupemodus.com

Éditeur : Marc G. Alain
Responsable de collection : Marie-Eve Labelle
Auteur et illustrateur : Alex A.
Infographiste : Vicky Masse

Dépôt légal — Bibliothèque et Archives nationales du Québec, 2012
Dépôt légal — Bibliothèque et Archives Canada, 2012

ISBN version imprimée :
– 978-2-89660-317-6

ISBN versions numériques :
– ePub : 978-2-89751-182-1
– Kindle : 978-2-89751-194-4
– PDF : 978-2-89660-977-2

Nous reconnaissons l'aide financière du gouvernement du Canada par l'entremise du Fonds du livre du Canada pour nos activités d'édition.

Gouvernement du Québec — Programme de crédit d'impôt pour l'édition de livres — Gestion SODEC

Imprimé en Chine en juillet 2015

LA FORMULE V

**ÉCRIT ET ILLUSTRÉ
PAR ALEX A.**

PRESSES AVENTURE

POUR MATHIEU,
QUI TROUVAIT QUE LES LETTRES
WXT SONNAIENT BIEN.

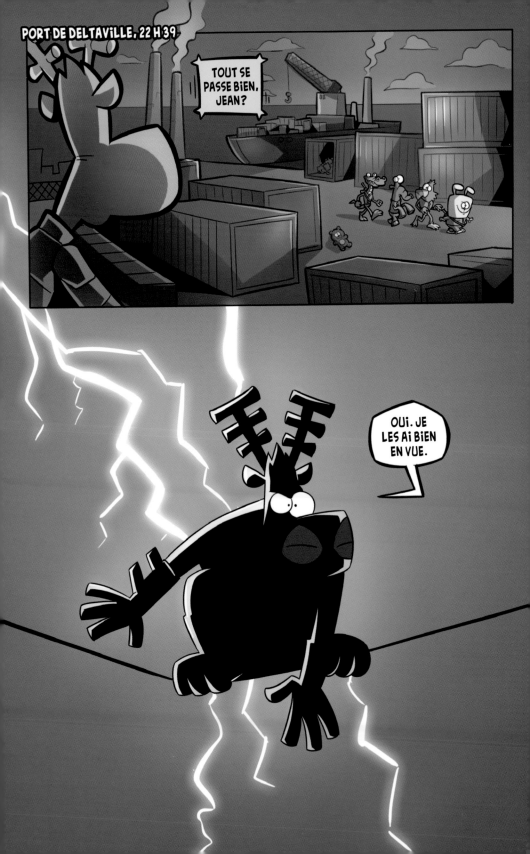

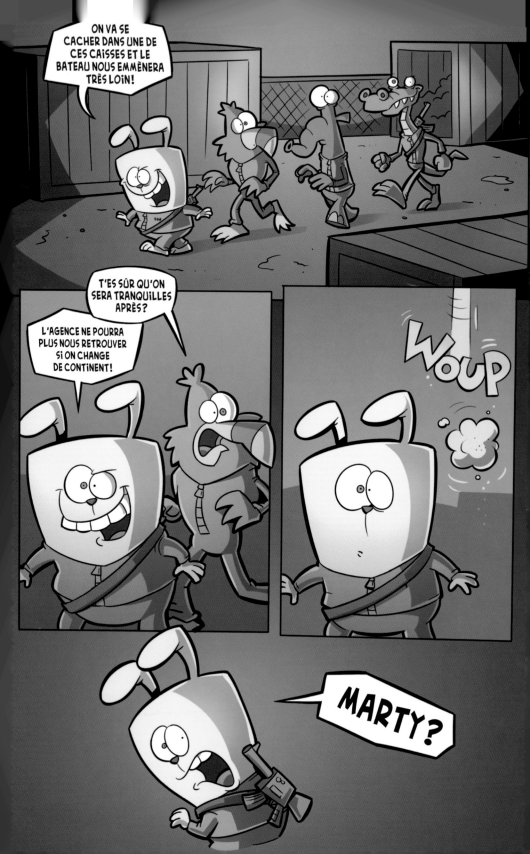

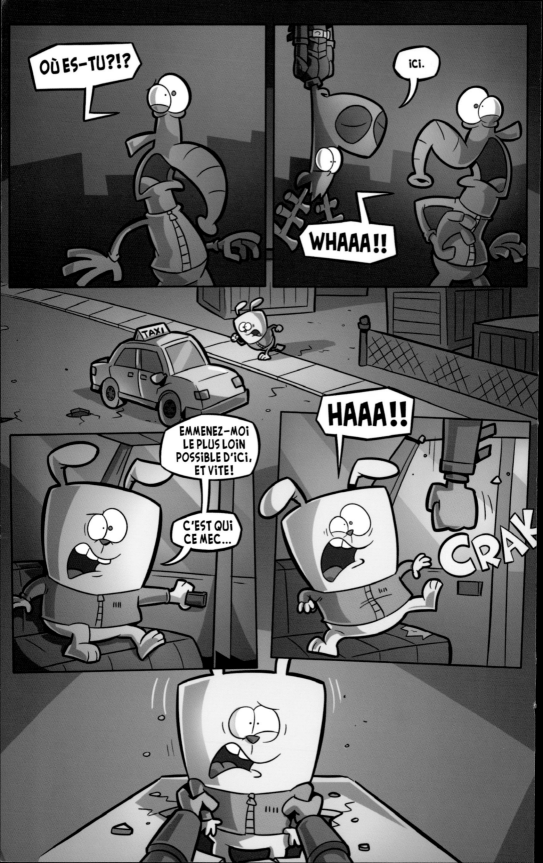

ÉDIFICE A, 8 H 34
ÇA Y EST! LA RECONSTRUCTION EST ENFIN TERMINÉE.

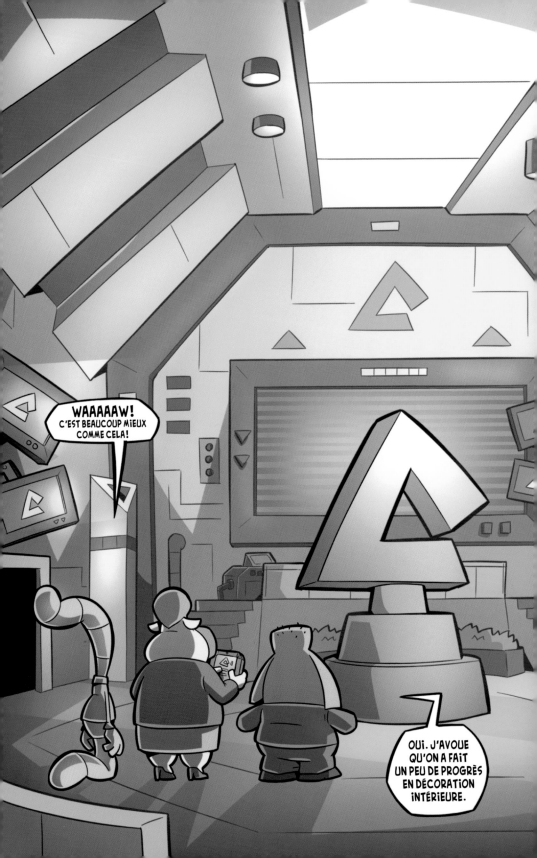

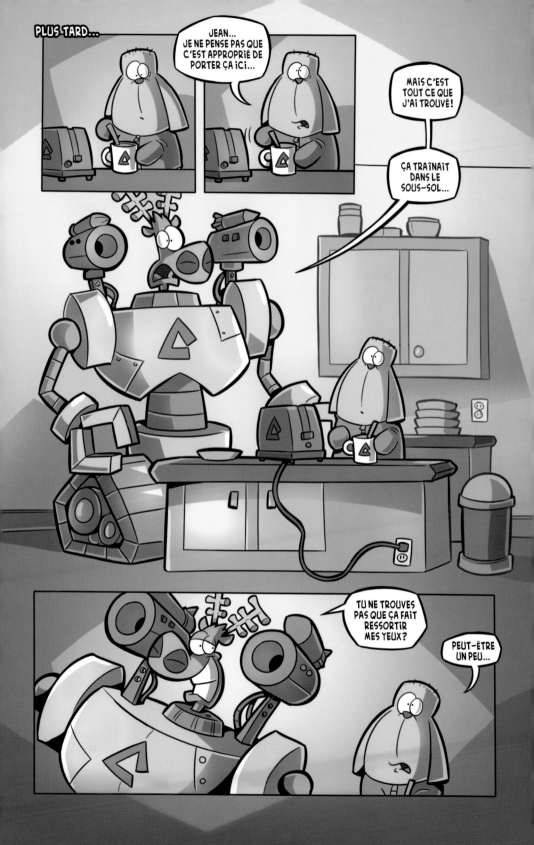

MIAM.

EUH...

HMMM...

OUPS! MON PAIN.

CRAK

PING KRAK TRASH

JE VAIS MANGER DANS MA CHAMBRE!

SALUT!

16

START

FINISH

06/14

BOUM

HA! HA! BOUM.

EXACTEMENT, BOUM. MALGRÉ TOUT, TOI, LE MOIS DERNIER, TU AS CARRÉMENT PRIS LE CUBE DANS TES MAINS ET TU T'EN ES SORTI. TON CORPS S'EST ADAPTÉ. POURQUOI?

...EUUUUH... PARCE QUE... C'ÉTAIT PLUS COOL COMME ÇA?

CE N'EST PAS TRÈS SCIENTIFIQUE, ÇA, JEAN.

MAIS C'EST VRAI QUE C'ÉTAIT TRÈS COOL...

SI SEULEMENT PLUS DE GENS AVAIENT VU ÇA...

NE VOUS INQUIÉTEZ PAS, CHERS LECTEURS.

VOUS ME REVERREZ.

22

EXTÉRIEUR DE L'AGENCE, 15 H 40.

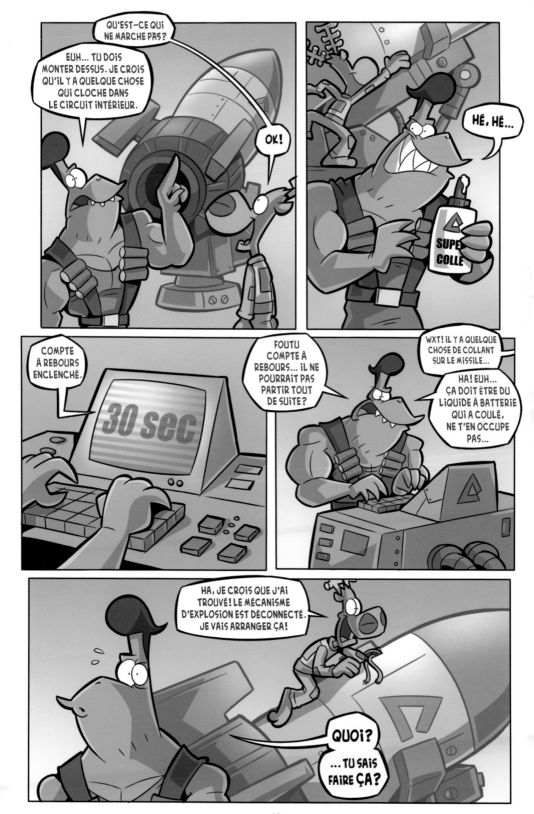

25

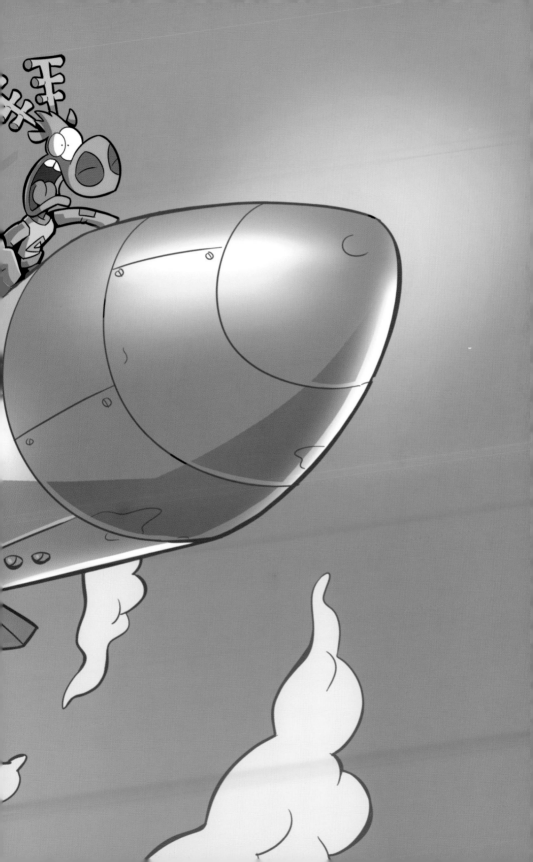

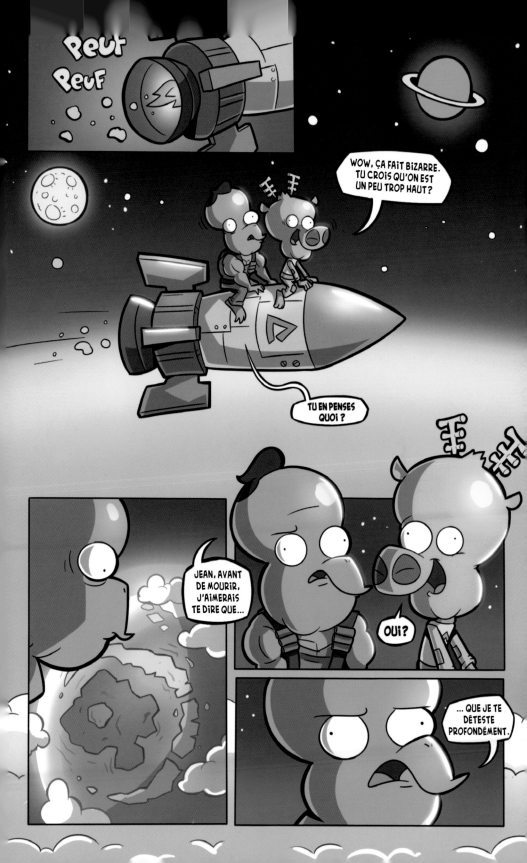

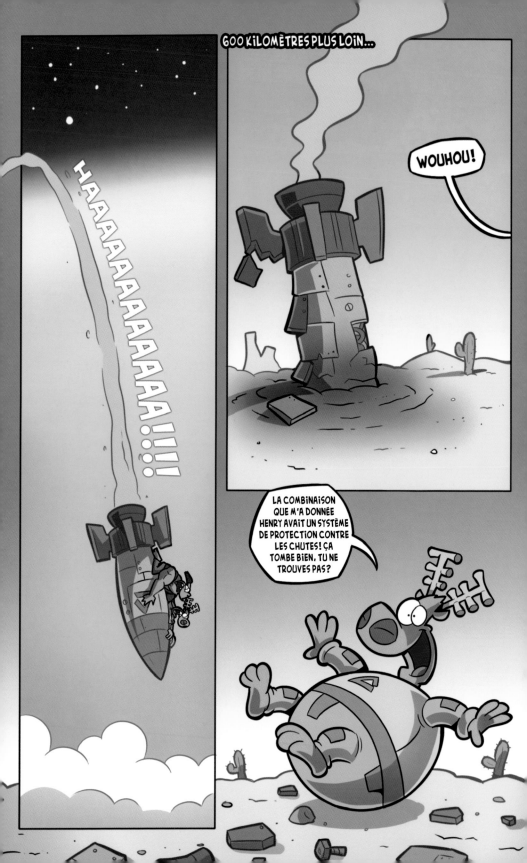

EN PLUS, ILS ONT ACCÈS À UNE TECHNOLOGIE ULTRA-AVANCÉE! ILS PEUVENT SE RENDRE INVISIBLES, SE TÉLÉPORTER, VOYAGER DANS LE TEMPS, ALLER DANS DES UNIVERS PARALLÈLES!

BON, CERTAINS DIRONT QUE C'EST GRÂCE À LA MAGIE, MAIS LA MAGIE C'EST JUSTEMENT ÇA! UNE TECHNOLOGIE TELLEMENT AVANCÉE QU'ON N'ARRIVE PAS À LA COMPRENDRE...

TU LES AIMES, TOI, LES SCHTROUMPFS?

NOOON!!

AH! ÇA DEVAIT T'AGACER ALORS, CE QUE JE DISAIS!

HERF...

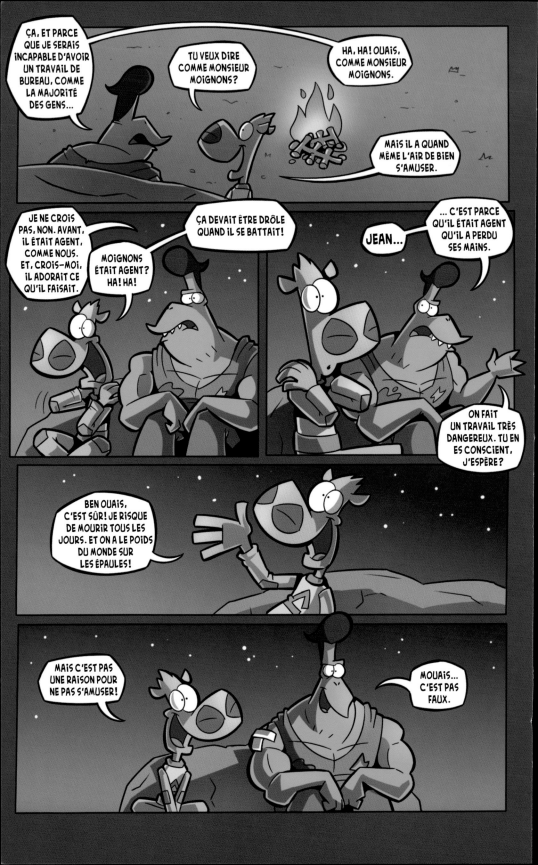

ALLEZ, MOI JE VAIS ESSAYER DE DORMIR UN PEU.

BONNE NUIT, WXT!

... BONNE NUIT, JEAN.

POURQUOI EST-CE QUE TU SOURIS COMME ÇA?

AH, J'AI DES HALLUCINATIONS À CAUSE DE LA CHALEUR.

JE PORTE UN MONOCLE!

C'EST QUOI CET AMAS DE PIERRES, LÀ-BAS?

TOI AUSSI, TU LE VOIS? J'CROYAIS QUE C'ÉTAIT DANS MA TÊTE!

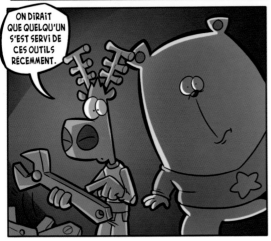

MAIS, QU'EST-CE QUE...

WHAAA !

VOUS AVEZ FAIT UNE ERREUR EN ENTRANT ICI...

...ÉTRANGERS.

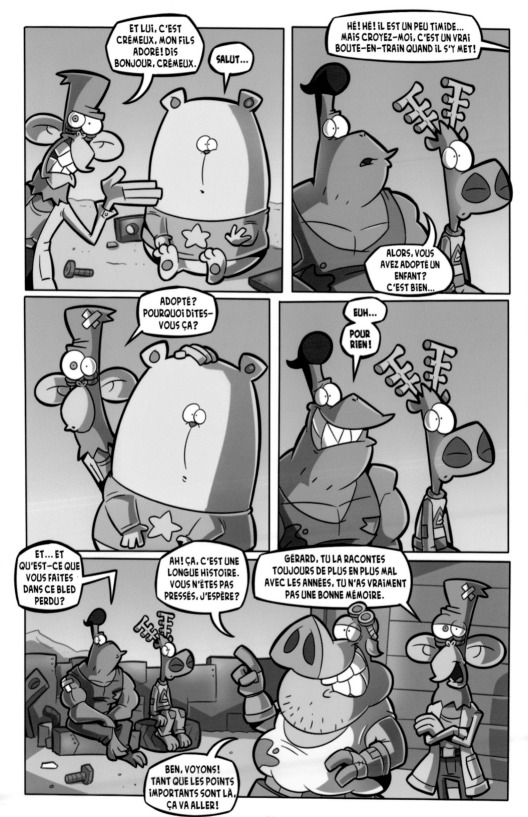

UN JOUR, UNE GRANDE GUERRE ÉCLATA! JE CROIS QUE C'ÉTAIT CONTRE DES ROBOTS...

OU DES FERMIERS...

OU DES DINOSAURES... MAIS BON, C'EST PAS IMPORTANT!

L'ARMÉE NOUS AVAIT ENVOYÉS VERS LA BASE ENNEMIE POUR CAPTURER LE CHEF DES ROBOTS-FERMIERS-DINOSAURES. UN MÉCHANT DICTATEUR VOULANT CONTRÔLER LE MONDE!

MAIS EN ROUTE VERS NOTRE DESTINATION, TON PÈRE DÉCOUVRIT QUELQUE CHOSE D'ÉTRANGE DANS LE VAISSEAU...

UN HAUT-DE-FORME! QUE L'ARMÉE AVAIT VRAISEMBLABLEMENT PLACÉ LÀ, SANS L'AVERTIR!

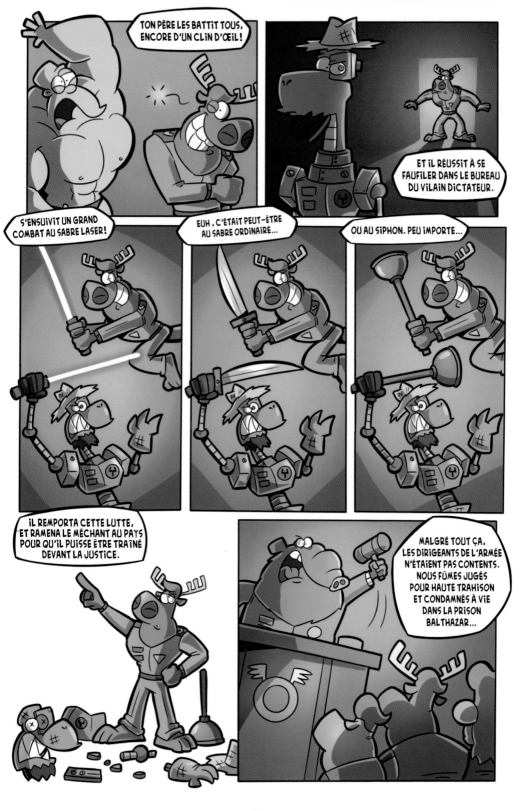

... LA PIRE PRISON QU'ON PEUT TROUVER SUR TERRE.

MAIS TON PÈRE N'ÉTAIT PAS UN HOMME COMME LES AUTRES. EN QUELQUES JOURS À PEINE, IL RÉUSSIT À NOUS FAIRE ÉVADER GRÂCE À UNE CUILLÈRE ET UN MOUCHOIR.

TON PÈRE DEVINT AINSI LE PREMIER HOMME AU MONDE À S'ÊTRE ÉVADÉ DE CET ENDROIT.

NOUS QUI PENSIONS ÊTRE LIBRES, NOUS AVONS ÉTÉ POURCHASSÉS JOUR ET NUIT PAR DES AGENTS DU GOUVERNEMENT QUI VOULAIENT NOTRE PEAU!

ICI, ON AURA LA PAIX, LES GARS!

ALORS, TON PÈRE NOUS CACHA ICI, DANS CETTE PETITE BASE MILITAIRE ABANDONNÉE QUE LUI SEUL ET UNE POIGNÉ DE PERSONNES CONNAISSAIENT.

APRÈS QUELQUES JOURS DE TRANQUILLITÉ, UNE MYSTÉRIEUSE JEUNE FEMME VINT NOUS RENDRE VISITE...

UNE DÉNOMMÉE MARTHA, JE CROIS.

UNE FEMME TELLEMENT SEXY!

EUH... OUAIS, ON VA DIRE...

ATTENDEZ... MARTHA EST UNE FEMME?

JE FAIS PARTIE D'UNE ORGANISATION TOP SECRÈTE NOMMÉE L'AGENCE. NOUS VOUS SURVEILLONS DEPUIS UN BON MOMENT, CAPITAINE...

AU DÉBUT, CETTE HISTOIRE PARAISSAIT DOUTEUSE, MAIS APRÈS AVOIR DISCUTÉ AVEC CETTE FEMME, TON PÈRE FUT CONVAINCU. IL AVAIT ENFIN TROUVÉ UN MOYEN DE PROTÉGER LE MONDE QUI LUI CONVENAIT. UN SYSTÈME QUI APPROUVAIT SES PRINCIPES.

TOUS LES TROIS, ON S'EST MIS À TRAVAILLER POUR CETTE ORGANISATION.

ET APRÈS QUELQUES ANNÉES, TON PÈRE DEVINT UN AGENT LÉGENDAIRE. LE MEILLEUR DE TOUS.

MAIS UN JOUR, CE TRAVAIL EUT RAISON DE LUI...

DANS UN DERNIER ACTE HÉROÏQUE POUR TENTER DE SAUVER LE MONDE, IL DISPARUT POUR DE BON...

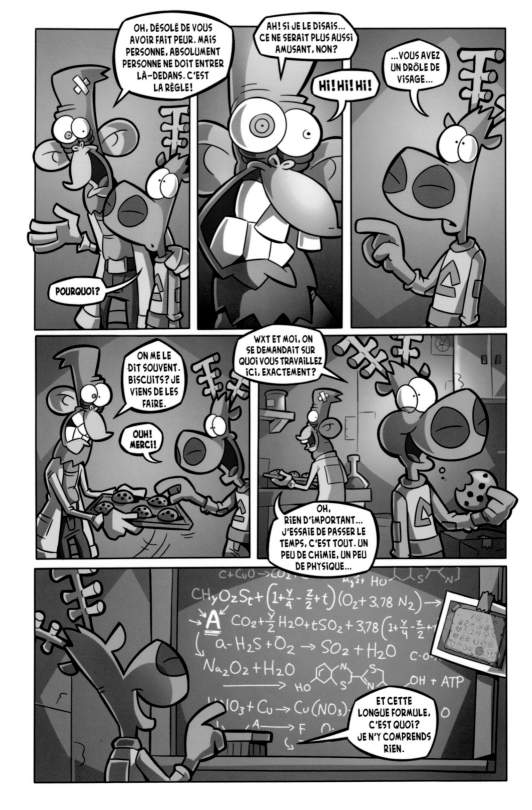

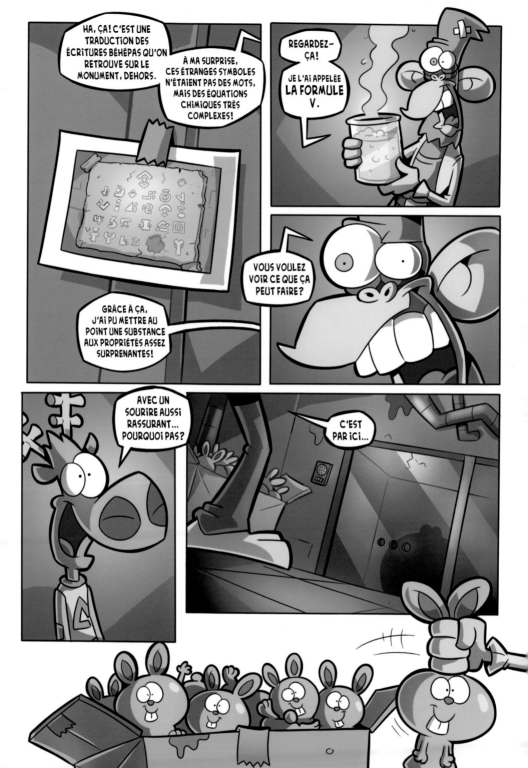

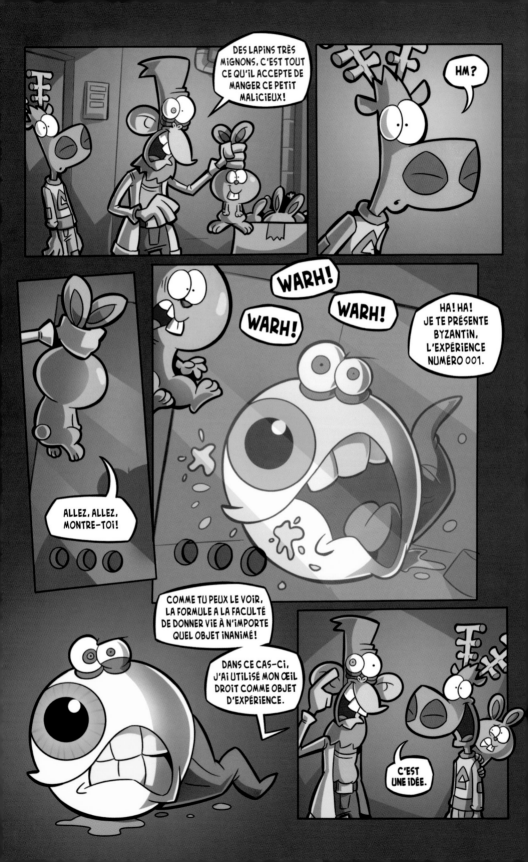

QUELQUES GOUTTES DE CE TRUC, ET IL A PRIS VIE! MAIS COMME JE N'ARRIVE PAS À COMPRENDRE ENCORE L'ENTIÈRETÉ DE L'ÉQUATION, MA FORMULE N'EST PAS VRAIMENT STABLE...

$+ CuO$

$O_2 St$

$CO_2 + \frac{y}{2} H_2O + tSO_2 + 3{,}/$

$- H_2S + O_2 \rightarrow SO_2 + H_2O$

$O_2 + H_2O$

$\longrightarrow$

$O_3 + Cu \rightarrow Cu(NO_3)_2 + NO$

$\begin{matrix} A \\ B \end{matrix} \rightarrow Fe_2O_3 \rightarrow Fe + CO_2$

N_2

CE QUI EN RESSORT EST GÉNÉRALEMENT TRÈS AGRESSIF... ET PAS TRÈS INTELLIGENT. MAIS J'Y ARRIVERAI!

OH ET, EN AUCUN CAS, TU NE DOIS TOUCHER À CETTE FORMULE!

SUR DES ÊTRES VIVANTS, JE NE SAIS PAS ENCORE QUELS EFFETS ÇA AURAIT...

OH! MES BISCUITS SONT PRÊTS! JE REVIENS TOUT À L'HEURE.

D'ACCORD!

BZZZ

WOW...
C'ÉTAIT
BIZARRE,
ÇA.

TU VEUX
ESSAYER?

LE PREMIER QUI ATTEINT LE HAUT DU TEMPLE A GAGNÉ. ET LE PERDANT DEVRA NETTOYER LA CHAMBRE DE CRÉMEUX. OK?

JE SUIS SÛR QUE TU VAS ME BATTRE À PLATE COUTURE!

HMMMM...

OK!

HÉÉ! FALLAIT ATTENDRE QUE JE DISE «GO»!

JE PARIE UN VINGT SUR LE GROS VERT.

ET MOI JE METS CINQUANTE SUR JEAN.

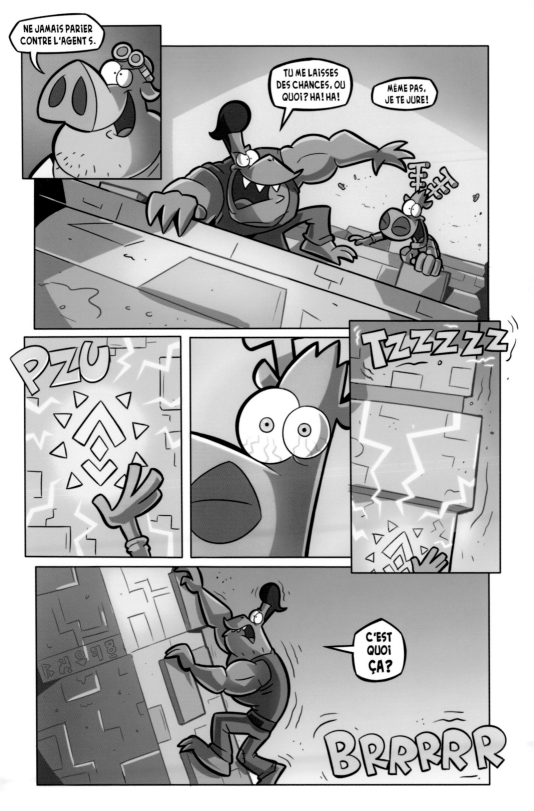

WOOO....!

HEIN? QUOI? QU'EST-CE QUI S'EST PASSÉ?

ARG! JEAN!

AIDE-MOI!

ÇA VA! JE SUIS LÀ.

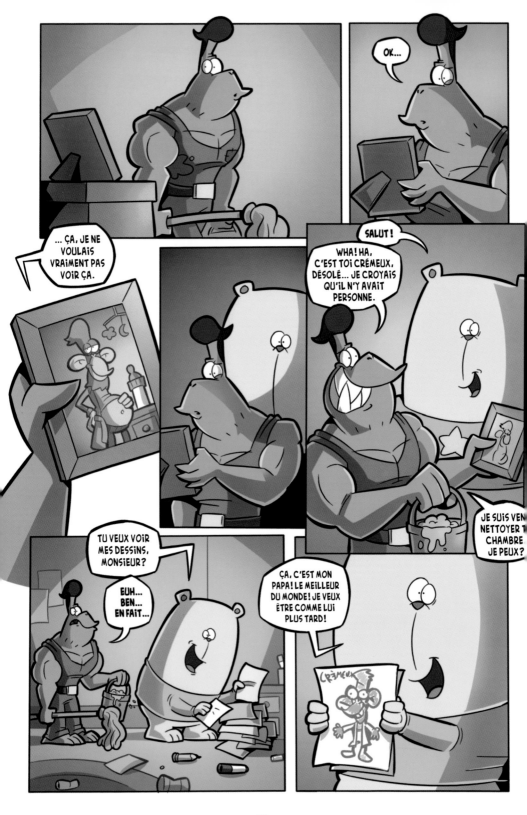

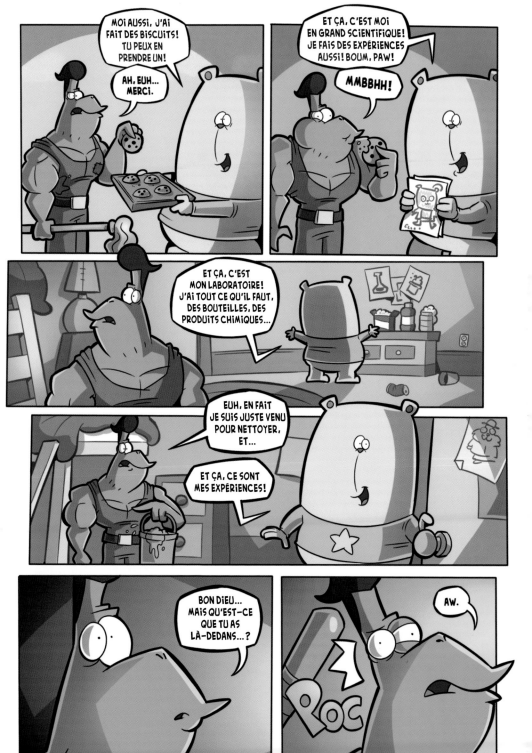

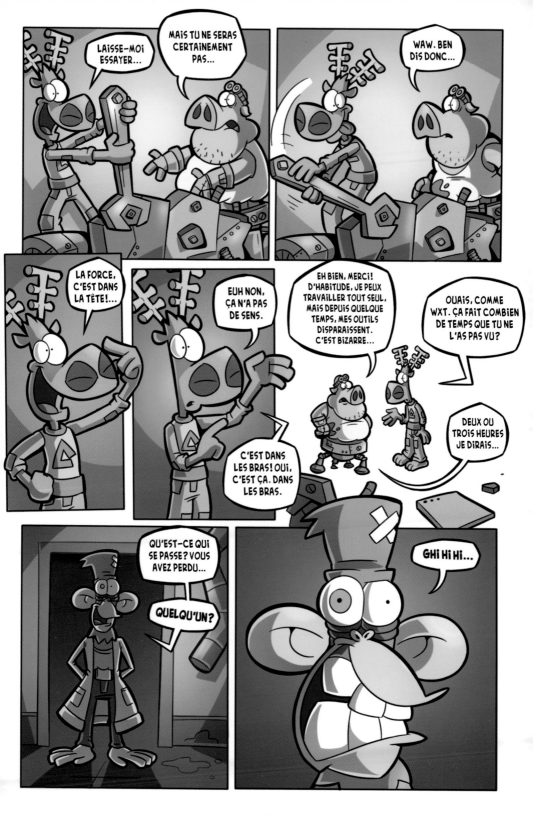

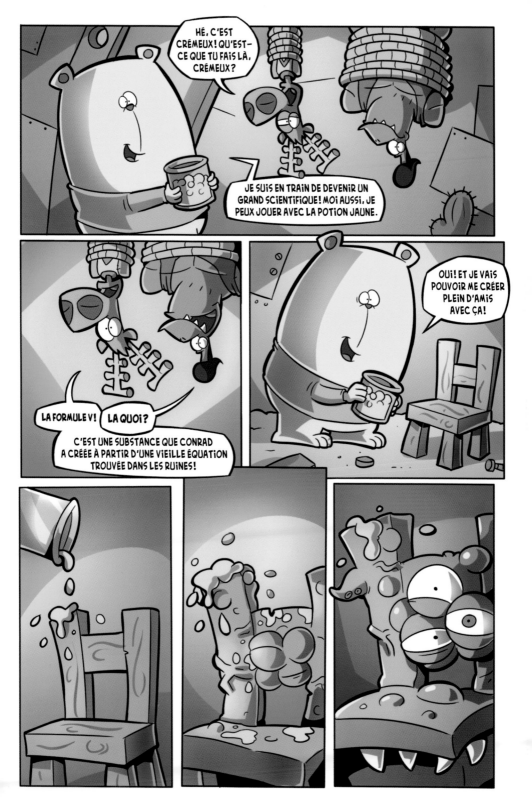

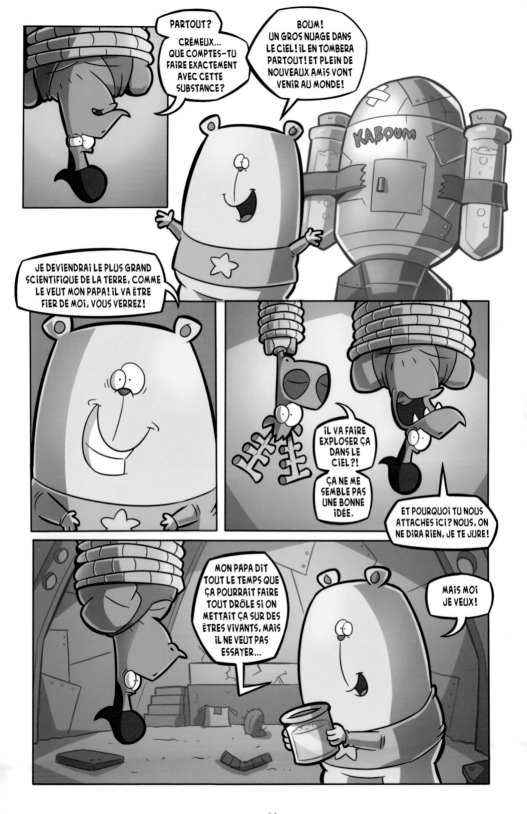

92

HA! OUF... JE LE TROUVAIS BIZARRE CES DERNIERS TEMPS, MOI QUI CROYAIS QU'IL AVAIT COMMENCÉ À FUMER...

IL VEUT FAIRE QUOI?!?!

OUAIS, IL A VRAIMENT PÉTÉ UN CÂBLE VOTRE FILS. IL LUI MANQUE DES CELLULES OU QUOI?

OH, CE N'EST PAS IMPOSSIBLE. VOUS N'AVEZ PAS IDÉE À QUEL POINT ÇA A ÉTÉ LONG AVANT QU'IL SORTE DE MON...

ON NE VEUT PAS LE SAVOIR!!!

MAIS ATTENDEZ, SI C'EST PAS VOUS LE MÉCHANT, IL Y A QUOI DANS CETTE ÉTRANGE PIÈCE MYSTÉRIEUSE?!

ENTRÉE INTERDITE

DANGER

OH, ÇA?

C'EST LÀ QUE JE METS MON BANJO.

TWINGA LINGA LING

OH NON, ON A OUBLIÉ LA SALLE DE BAIN!

ILS SONT EN TRAIN D'ENTRER PAR LA FENÊTRE!

PAS DE PROBLÈME, LAISSEZ-MOI FAIRE!

MES AMIS! MES AMIS, CALMEZ-VOUS.

NOUS NE VOUS FERONS AUCUN MAL.

...FAIM!! ARGG! MANGER!

HA, D'ACCORD! VOUS AVEZ FAIM.

MAIS POURQUOI VOULOIR NOUS MANGER, NOUS?

IL Y A PLEIN D'AUTRES BONNES CHOSES DANS CE MONDE, NON?

BON, QUI EST-CE QUI A VOLÉ MON BRAS?

JEAN, TU ES SÛR QUE...

CHUUT! J'ÉTAIS EN TRAIN D'EXPLIQUER UN POINT, LÀ.

BON, COMME JE DISAIS, VOUS POURRIEZ MANGER TELLEMENT DE CHOSES! COMME... EUH... DES FRUITS, DES LÉGUMES, DES CÉRÉALES...

ET, EUH... EUH...

DES BISCUITS! GOÛTEZ À ÇA, JE SUIS SÛR QUE VOUS ADOREREZ!

C'EST BIEN MEILLEUR QUE DES BRAS!

ARG... BIS... CUIT...

HÉ! HÉ! RÉGALEZ-VOUS, MES AMIS!

ARF... VOUS POUVEZ ARRÊTER DE FAIRE ÇA?

PAPA SERA FIER DE MOI! LA LA LA!

CRÉMEUX!

TU NE T'EN TIRERAS PAS SI FACILEMENT!

JEAN, JE TE PRÉSENTE...

LE CHEVAL D'OR 2!

VERSION MINI...

PRÉPARE-TOI À VOLER COMME JAMAIS TU N'AS VOLÉ AUPARAVANT!

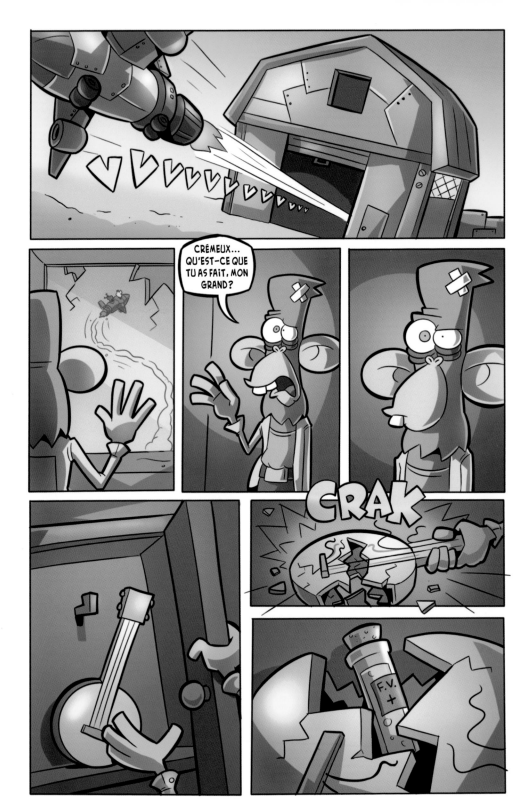

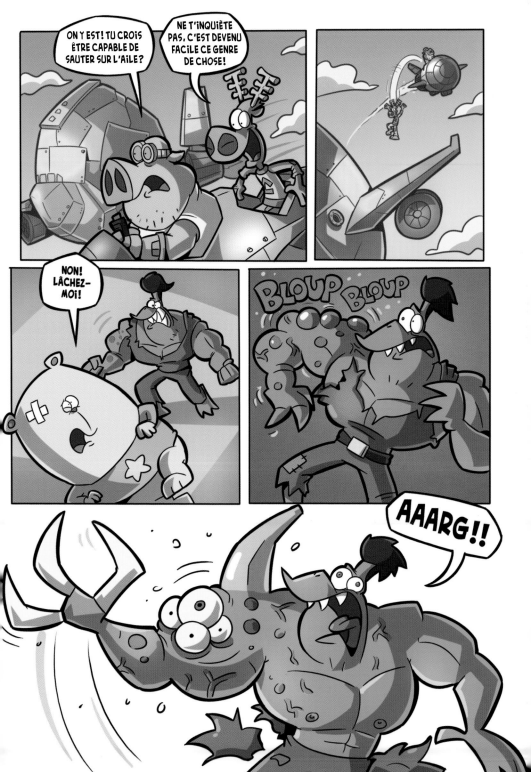

HÉ! QU'EST-CE QUE TU FAIS?! ON EST AMIS, NON? TU NE T'EN SOUVIENS PAS?

ÇA Y EST! JE VAIS LÂCHER MON GROS BOUM ICI!

BiP

WOP

VOOOOoooooo...

111

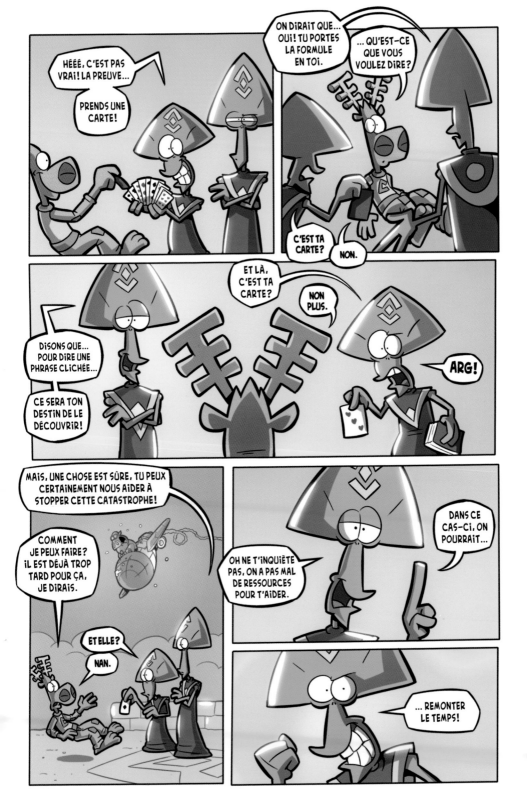

JEAN ET WXT SONT SAINS ET SAUFS. NOS SATELLITES LES ONT RETROUVÉS SUR LES TERRES JAUNES. NOUS AVONS ÉTÉ CHANCEUX.

WXT AVAIT SUBI UNE MUTATION GÉNÉTIQUE SUR LES LIEUX, DUE À UN PRODUIT TRÈS DANGEREUX DÉVELOPPÉ PAR CONRAD.

MAIS HENRY A PU TROUVER UN ANTIDOTE À LA MUTATION, ET WXT EST MAINTENANT EN RÉMISSION.

ET COMME VOUS L'AVEZ DEMANDÉ, UN CENTRE D'OBSERVATION SERA INSTALLÉ TRÈS BIENTÔT SUR CE CONTINENT.

APRÈS CE QUI S'EST PASSÉ, IL SERAIT SAGE DE COUVRIR ÉGALEMENT CET ENDROIT DE LA PLANÈTE.

LE CENTRE SERA DIRIGÉ PAR GÉRARD ET CONRAD, QUI ONT ACCEPTÉ DE RETRAVAILLER POUR NOUS.

LA TERRE EST DONC SAUVÉE, GRÂCE À JEAN, ENCORE UNE FOIS.

MERCI, MONSIEUR MOIGNONS. VOUS POUVEZ DISPOSER, J'AIMERAIS PARLER À L'AGENT WXT...

130

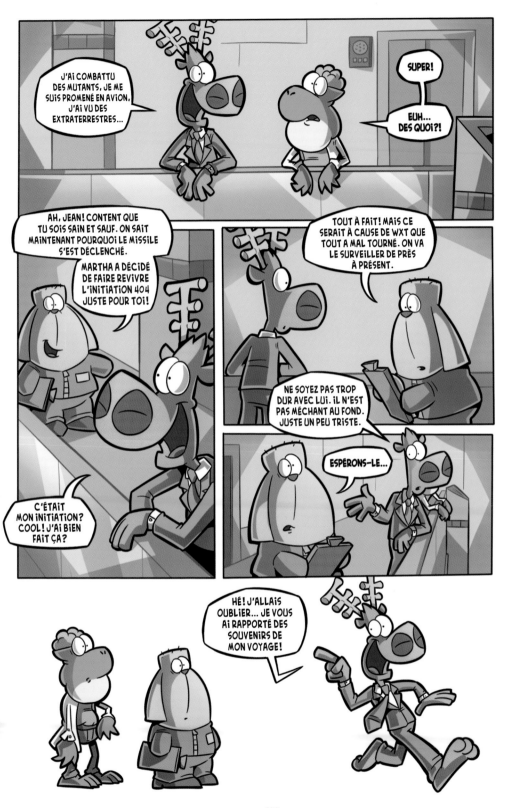

Chronologie

An 0

l'agent S disparaît pour toujours en stoppant les plans de son pire ennemi, le Castor.

Son fils, Jean, est retrouvé sur le perron de l'Agence.

1 2 3 4 5 6 7 8 9 10

Personne ne sait exactement quand a été créée l'Agence. Mais on peut soupçonner que sa fondation remonte à des milliers d'années, peut-être plus...

Monsieur Moignons perd ses mains lors d'une mission et doit cesser ses activités en tant qu'agent.

An 3

de l'Agence

An 11

WXT, membre de l'Agence depuis ses 11 ans, atteint la vingtaine et peut maintenant devenir agent officiel.

An 20

12 13 14 15 16 17 18 19

An 12

Ale fête ses 110 ans au sein de l'Agence.

An 17

Entrée de Billy à l'Agence en tant que responsable de la sécurité et informaticien.

À venir dans le tome 3...

LE RETOUR DE **FARINE...**

UN VOYAGE AU FOND DE L'OCÉAN...

HI! HI! FLOTTE FLOTTE!

...ET JEAN DOIT SURVIVRE À UNE TERRIBLE **PERTE!**

LA VÉRITABLE ET TRAGIQUE HISTOIRE
DE **MONSIEUR MOIGNONS...**

Alex A. écrit et dessine depuis toujours. Très jeune, il invente le personnage de l'Agent Jean, lui crée des acolytes et s'amuse à plonger son antihéros sympathique dans des situations extravagantes. En 2011, son rêve se concrétise : les aventures de son agent secret sont enfin publiées! Bédéiste prolifique, il a aujourd'hui près de dix bandes dessinées à son actif. Ses principales inspirations? Tout ce qui existe, mais surtout, tout ce qui n'existe pas!

Alex A. habite avec son chien, Ours, à Montréal (Québec, Canada). Dans ses temps libres, il s'adonne à l'escalade, lit des bandes dessinées de superhéros et joue à des jeux vidéo.

Retrouvez la suite des aventures de l'Agent Jean dans le tome 3 : ***OPÉRATION MOIGNONS***

alexbd.com

SÉRIE
L'AGENT JEAN

**LE CERVEAU
DE L'APOCALYPSE**

LA FORMULE V

**OPÉRATION
MOIGNONS**

**LA PROPHÉTIE
DES QUATRE**

**LE FRIGO
TEMPOREL**

**UN MOUTON
DANS LA TÊTE**

**L'ULTIME SYMBOLE
ABSOLU**

LE CASTOR À JAMAIS